Iestyn

D

Dim Mwnci'n y Dosbarth

Siân Lewis

Lluniau gan
Chris Glynn

Gomer

Argraffiad cyntaf – 2005

ISBN 1 84323 427 0

Cyhoeddwyd dan gynllun comisiynu
Cyngor Llyfrau Cymru.

Dymuna'r cyhoeddwyr gydnabod cymorth
Adrannau Cyngor Llyfrau Cymru.

Argraffwyd gan
Wasg Gomer, Llandysul, Ceredigion SA44 4JL

A glywsoch chi sôn am blant Ysgol Pwllmawn?
Maen nhw i gyd yn actorion arbennig iawn, iawn.

Eu hathro yw'r enwog Llywelyn Myn-Brain
Sy'n dod bob dydd Iau yn ei fodur mawr cain
I'w dysgu i actio llew, eliffant, ych,
Neu unrhyw anifail. Wir-yrr! Mae e'n wych.

Ond un bore dydd Iau, ryw chwech wythnos yn ôl,
Roedd Llywelyn i ffwrdd. Felly daeth bws i nôl
Y plant a'u hathrawes a'u cludo i'r sŵ.

Roedd Llywelyn Myn-Brain wedi dweud wrthyn nhw:
'Dysgu actio fel mwnci yw'r dasg sydd o'ch blaen.
Y wobr i'r gorau fydd Cwpan Myn-Brain.'

Waw! Cwpan Myn-Brain! Roedd y plantos ar dân.
Fe redon drwy'r sŵ'n gynt na Guto Nyth Brân

A mynd ar eu hunion at ffens gadarn, dal.
Y tu ôl i'r ffens honno roedd anferth o wal
A lawr oddi tani'n myfyrio'n y coed

Roedd criw o fwncïod. Aeth y plant yn ddi-oed
I roi'u trwynau drwy'r ffens a'u llygadu am sbel.
Ac yna fe action nhw.

Wel, wel, wel, wel, wel!
Allai'r mwncwn ddim credu! Fe neidion mewn braw
Wrth weld rhes o greaduriaid, rhai od ar y naw,

Yn tynnu wynebau a chrafu eu pennau,
Yn neidio a sboncio a chosi ceseiliau
A cherdded yn ddwl gyda'u coesau mor gam.

Gan roi naid dros y ffens dyma Gwyn a'i frawd Sam
Yn bloeddio fel Tarsan a swingio drwy'r coed.
Wel, welodd y mwncwn mo'r fath beth erioed,

Yn enwedig pan dynnodd y ddau fachgen ffôl
Eu crysau-T newydd a'u gadael ar ôl
Gyda'u jîns, trenyrs, sanau a'u sgarffiau *Man. U*,
A sboncio drwy'r brigau gan weiddi 'W-w!'

Roedd holl blant Bwllmawn –
nid yn unig nhw'u dau –
Yn cael hwyl i ryfeddu. Wel, roedd hi'n ddydd Iau.

Ymhell o'r holl helynt a'r halibalŵ
Eisteddai dwy wraig yn y caffi'n y sŵ.
Mrs Bet Huws, cogyddes yr ysgol, oedd un
A'r llall oedd Miss Llwyd, (enw cyntaf – Marlîn).

Roedd y ddwy wedi dod ar y bws gyda'r plant,
Ond doedd gan Bet a Marlîn ddim tamaid o chwant
Mynd i weld y mwncïod nac actio. O, na.
Roedd Bet Huws yn meddwl bod actio yn bla
A Marlîn yn cytuno.

Ond pan glywson nhw
Sŵn seiren yn atsain yn groch iawn drwy'r sŵ
A lleisiau yn sgrechian: 'Mae'r mwncïod mas!'
Fe lyncodd Mrs Bet Huws ei do-nyt ar ras

Ac i ffwrdd â hi a Marlîn heb ddim gair
I'r cawell mwncïod.

Wel, dyna i chi ffair!
Roedd ymwelwyr yn crynu a phlismyn yn gweiddi,
Dau fet a deg ceidwad yn chwifio eu rhwydi

A phawb yn trio dala plant Ysgol Pwllmawn
Gan feddwl eu bod nhw'n fwncïod go iawn.

I ganol y dorf rhuthrodd Marlîn a Bet.
Fe gydiodd y ddwy'n dynn ym mreichiau'r ddau fet
A gweiddi: 'Stop! Stop! Nid mwncïod yw'r rhain,
Ond plant sy'n cael gwersi gan Mistar Myn-Brain!'

Fe syllodd y dorf ar y plantos yn syn
A gwaeddodd rhyw ddyn, 'Mae dau arall fan hyn!'

Mewn chwinc dringodd ceidwad y sŵ dros y wal.
A heb fawr o drafferth fe lwyddodd i ddal
Dau hogyn bach annwyl mewn sgarffiau *Man. U*
A'u harwain yn ddiogel yn ôl at y criw.

‘Awn ni adre’n syth bin,’ rhuodd Bet Huws fel cawr.
‘Ewch i’r bws, blant Pwllmawn. Dewch, symudwch
hi nawr!’
Ond ble oedd eu hathrawes yng nghanol y sŵn?

Roedd hi'n clwydo ar gangen yn ymyl babŵn.

Doedd Miss Preis ddim yn actor arbennig o dda.
Allai hi ddim actio mwnci nac epa – O na! –
Na rheino na jerbil, na chwaith gangarŵ.
’R unig beth allai hi actio oedd rhan gwdihŵ.

Nawr mae'r gwdihw'n cysgu drwy'r bore a'r pnawn.
Pan gychwynnodd y bws ar ei ffordd i Bwllmawn
Doedd dim sôn am Miss Preis. Ond wnaeth neb
ddweud 'Ble mae . . ?'

Gan fod Miss Preis yn cysgu fel arfer ddydd Iau.

Yr unig beth od dynnodd sylw Bet Huws
Wrth iddi ddadbacio dau becyn o *Chews*
Oedd fod Gwyn a Sam Jones yn rhyfeddol o gall.
Fe wenodd hi ar y naill fachgen a'r llall.

Estynnodd hi *Strawberry Chew* fach i'r ddau
Ac fe roion nhw'n ôl iddi ddyrnaid o gnau
A banana i Marlîn.

Roedd Marlîn yn falch iawn
Ac ymhell cyn i'r bws gyrraedd adre i Bwllmawn
Roedd Bet Huws yn dal Sami bach ar ei glin
A'i frawd Gwyn yn eistedd yn ymyl Marlîn.

O flaen y gât fawr yn llawn ffwdan a ffws
Roedd haid o rieni yn disgwyl y bws.
Fe lygadon nhw'r plant yn ofalus iawn, iawn
I weld pwy oedd mwncïod bach gorau Pwllmawn.

Gwenodd Mam a Dad Jones ar ei gilydd yn falch.
Y goreuon o bell ffordd oedd eu dau walch.
Doedd neb arall yn actio hanner cystal â nhw
Er crafu'u ceseiliau a dweud 'W-w-w!'

Roedd y ddau'n dal i actio 'rôl mynd adre'n ôl,
Ac wrth godi ei meibion yn dyner i'w chôl,
Sibrydodd Mam Jones gan roi winc fach i'w gŵr:
'Bydd y bechgyn yn ennill y cwpan, dwi'n siŵr.'

Rhoddodd Mam sws nos da i'w dau fab penigamp,
Eu rhoi yn eu gwelyau a diffodd y lamp.
Heb sylwi fod dim byd o gwbl o'i le
Aeth lawr i gael paned.

Ond wyddoch chi be?

Nid cysgu mewn gwely oedd Gwyn a Sam Jones

Ond crynu ar gangen mewn dim byd ond trôns.
A'u dannedd yn clecian dan olau y lloer,
Fe wichiodd y ddau, 'O, Miss Preis, rŷn ni'n oer!'

Deffrôdd Miss Gwen Preis a gweiddi,
'Tw-whww-www!
O na! Mae hi'n nos a dwi'n dal yn y sŵ.

Dewch, fechgyn bach. Rhaid yw symud yn chwim.
Ond sut mae mynd dros y wal fawr? Wn i ddim.'

Ar hyn dyma ysgol yn disgyn o'u blaen.
Pwy oedd y pen arall? Llywelyn Myn-Brain.
'Helô,' meddai Llew 'rôl i'r tri ddringo lan.
'Dwi ar fy ffordd adre 'rôl ffilmio'n Japan.

Dois i yma i weld a oedd rhywun ar ôl.'
'O!' meddai'r athrawes. 'Dwi'n teimlo mor ffôl.'
'Twt! Peidiwch â theimlo cywilydd. Na, na!'
Meddai'r actor byd-enwog. 'Dwi'n athro mor dda,

Mae hyn wastad yn digwydd. Mae pobl fel chi
Yn anghofio pa amser o'r dydd ydy hi.
Dyna ddangos eich bod chi'n actorion da iawn.
Nawr mae'r Jag wrth y gât. A' i â chi i Bwllmawn.'

Ar ôl taith esmwyth braf, fe stopiodd y Jag
O flaen tŷ Miss Preis. Cydiodd hi yn ei bag
A hwtian 'Hw-w-wyl fawr!' gan chwifio ei llaw.

Ymlaen â'r car wedyn nes cyrraedd Rhif Naw,
Stryd y Gwynt. Ar ei union aeth Llew i roi cnoc
Ar ddrws ffrynt y tŷ.

Wel dyna i chi sioc
Gafodd Annabel Jones pan ddywedodd e’n blaen,
‘Mae’ch dau fab yn y car.’

‘O, Mistar Myn-Brain!’
Meddai hi gan ymgrymu i’r actor o fri.
‘Rych chi’n gwneud camgymeriad. Mae’r ddau
yn y tŷ.’

Ar hyn dyma lais bach yn galw, ‘Mam! Mam!’
Aeth Mam Jones cyn wynned â lliain. ‘O, Sam,’
Meddai hi yn llawn dychryn. ‘Wyt tithe ’na, Gwyn?
Beth yn y byd ych chi’ch dau’n wneud fan hyn?’

Gwenodd Llywelyn yn addfwyn a doeth
Wrth i Mam Jones gofleidio ei phlant hanner-noeth
Ac meddai, 'Mae'ch plant chi'n actorion mor dda,
Fe gawson nhw'u camgymryd am fwncwn.' 'O, na!'

Gwaeddodd Dad gan ddod allan â'i wyneb yn biws.
Meddai'r actor, 'Nawr, nawr, Mr Jones, does dim iws
I chi golli eich tymer a dwrdio y ddau.
Maen nhw'n sicr o ennill y cwpan ddydd Iau.'

‘Ie, ocê, ond beth am y ddau fach lan stâr?’
Meddai Dad gan ei ddilyn i’r car Jagiw-âr.
‘Dw i ddim am eu siomi. Beth wnawn ni â nhw?’

‘Yn y bore fe a’ i â nhw adre i’r sw,’
Meddai Llew. ‘Ond fe gewch chi eu gweld bob
dydd Iau.
Dwi’n addo! Bob wythnos fe ddof i â’r ddau
I’r ysgol i roi gwersi i’r plant. Ocê, frawd?’
‘Ardderchog,’ meddai Dad Jones gan godi ei fawd.

Roedd pawb wrth eu boddau, pawb yn gytûn,
Ond anghofion nhw ddweud wrth Bet Huws
a Marlîn.

Gwyddai Bet erbyn hyn ac fe wyddai Marlîn
Mai dau fwnci ddaeth adre o'r sw ar eu glin,
Ond wydden nhw ddim fod cynlluniau i'r ddau
Ddod i Ysgol Pwllmawn gyda Llew bob dydd Iau.

Ar ddydd Iau roedd Marlîn yn crafu llond bag
O datws mawr tyllog, pan welodd hi'r Jag
Yn stopio'n yr iard a'r ddau fwnci'n dod mas.
Aeth ei hwyneb yn goch ac yn biws ac yn las.

Gan ollwng y tatws, fe waeddodd, 'Bet! Bet!'
Ac allan â'r ddwy gan chwyrnellu fel jet
A thaflu eu breichiau am yddfau'u dau ffrind.
'Miss Preis,' meddai Marlîn. 'I ble maen nhw'n
mynd?'

‘I ddosbarth Llywelyn,’ meddai Miss Preis yn swil,
‘I’n helpu ni i actio. Dyna wych! Dyna bril!’

'Dyna ddwl!' ffrwydrodd Marlîn. Ac meddai Bet Huws,
'Dwi'n teimlo'n wyllt gacwn. Dwi bron chwythu ffiws
Wrth feddwl am ddau fach ddiniwed fel rhain
Yn mynd mewn i ddosbarth Llywelyn Myn-Brain.

Dim mwnci'n y dosbarth!' gwaeddodd hi nerth
ei cheg.
'Clywch! Clywch!' meddai Marlîn. 'Dyw hyn
ddim yn deg.
Nid plant yw'r ddau fach 'ma. Mwncïod ŷn nhw
Sy wedi arfer â bywyd mwy tawel y sŵ.

Dim mwnci'n y dosbarth!'

Crynodd Miss Preis a dweud 'O'r gore, Miss Llwyd.' Beth allai hi wneud?